ISIS Y OSIRIS

HASTA EL FIN DEL MUNDO

UN
MITO
EGIPCIO

UNIVERSO EN VIÑETAS™

RELATO POR
JEFF LIMKE

ILUSTRACIONES A LÁPIZ
Y TINTA DE
DAVID WITT

LIBIA

ISIS Y OSIRIS

HASTA EL FIN DEL MUNDO

UN MITO EGIPCIO

LÍBANO

MAR MEDITERRÁNEO

ISRAEL

JORDANIA

CAIRO

MENFIS

Río Nilo

ARABIA SAUDITA

EGIPTO

MAR ROJO

VALLE DE LOS REYES

TEBAS

EDICIONES LERNER • MINNEAPOLIS

SUDÁN

Los antiguos mitos egipcios que hablan de Isis, Osiris y otras deidades tienen más de cuatro mil años. Las historias mismas se desarrollan en épocas aún más antiguas, antes del ascenso de las grandes familias de faraones de Egipto. Pero estos relatos son también atemporales, ya que conservaron un papel central en la religión y la vida de los egipcios durante muchos siglos. Las imágenes que se suelen asociar con la mitología egipcia clásica corresponden a las dinastías gloriosas de Egipto, con sus pirámides, faraones y grandiosa arquitectura. La gráfica de *Isis y Osiris: Hasta el fin del mundo* sigue esa tradición. Para crear la historia, el autor Jeff Limke utilizó diversas fuentes, entre las que se incluyen *The Masks of God: Primitive Mythology* de Joseph Campbell y *Egyptian Legends and Stories* del arqueólogo M.V. Seton-Williams. El artista David Witt utilizó fuentes históricas y de la tradición, desde jeroglíficos hasta reproducciones de antiguas orbras de arte egipcias.

RELATO POR JEFF LIMKE

ILUSTRACIONES A LÁPIZ Y TINTA POR DAVID WITT

COLOREADO POR HI-FI DESIGN

CALIGRAFÍA POR LAURA WESTLUND

Traducción al español: copyright © 2008 por Lerner Publishing Group, Inc.
Título original: *Isis & Osiris: To the Ends of the Earth*
Texto copyright: © 2007 por Lerner Publishing Group, Inc.

La edición en español fue realizada por un equipo de traductores hablantes nativos del español de translations.com, empresa mundial dedicada a la traducción.

ediciones Lerner
Una división de Lerner Publishing Group, Inc.
241 First Avenue North
Minneapolis, MN 55401 EUA

Dirección de Internet: www.lernerbooks.com

Library of Congress Cataloging-in-Publication Data

Limke, Jeff.
  [Isis y Osiris. Spanish]
  Isis y Osiris : hasta el fin del mundo : un mito egipcio / relato por Jeff Limke ; ilustraciones a lápiz y tinta de David Witt.
     p. cm. — (Mitos y leyendas en viñetas)
  Includes index.
  ISBN 978-0-8225-7971-7 (pbk. : alk. paper)
  1. Graphic novels. 2. Isis (Egyptian deity)—Comic books, strips, etc. 3. Osiris (Egyptian deity)—Comic books, strips, etc. I. Witt, David. II. Title.
PN6727.L5317718 2008
741.5'973—dc22   2007004113

Fabricado en los Estados Unidos de América
1 2 3 4 5 6 - JR - 13 12 11 10 09 08

CONTENIDO

SÍ, PEQUEÑITO, DESCANSA. EL FUEGO NO TE DAÑARÁ.

YO TE PROTEGERÉ, Y EL PODER DEL FUEGO TE HARÁ MÁS FUERTE.

AHORA ESCUCHA: TE CANTARÉ LA CANCIÓN DE CÓMO YO, LA *DIOSA ISIS*, LLEGUÉ A ESTE HOGAR.

ESCUCHA ATENTAMENTE CÓMO MI ESPOSO, OSIRIS, DIOS Y REY DE TODO EGIPTO, FUE CRUELMENTE ENGAÑADO, Y CÓMO YO LO BUSQUÉ.

CELEBRÁBAMOS LA COSECHA QUE MI ESPOSO HABÍA TRAÍDO A SU PUEBLO.

TE AMAN, ¿SABES? LES HAS DADO TANTO, Y LES HAS ENSEÑADO TANTO MÁS.

SÍ, PERO TE AMO A *TI* MÁS DE LO QUE AMO SER SU FARAÓN.

TODO TRANSCURRÍA EN PAZ HASTA QUE APARECIÓ...

ENTONCES DIME, ¿QUÉ PREMIO HAS TRAÍDO A MI FIESTA?

¿PERCIBO ALGO DE INQUIETUD EN MI HERMANO DE CÉLEBRE PACIENCIA?

TENGO UNA *SORPRESA* PARA EL FIN DE LA VELADA.

PENSÉ QUE PODRÍAMOS HACER UN CONCURSO PARA TODOS LOS PRESENTES.

EL VENCEDOR OBTENDRÁ LO QUE HA GANADO.

Y BIEN, NEFTIS, ¿QUÉ PIENSAS DE ESTE PREMIO DE TU ESPOSO?

¿YO? ES LA PRIMERA VEZ QUE VEO U OIGO HABLAR DEL PREMIO. NI SIQUIERA LO RECONOZCO.

PARECE QUE *TODOS* APRENDEREMOS ALGO NUEVO HOY.

PERO ENTRE TANTO, ¡A DISFRUTAR DE LA FIESTA!

CELEBRAMOS DURANTE TODA LA NOCHE. LA GENTE CANTABA, DANZABA Y COMÍA. SE HABÍAN DESPLEGADO LOS FRUTOS DE LA COSECHA PARA QUE TODOS VIERAN LA GENEROSIDAD DE OSIRIS.

LA FIESTA CONTINUÓ HASTA EL CONCURSO FINAL DE SET.

¡LLEGÓ LA HORA!

ACÁ TENGO EL **MAYOR** Y **MEJOR** PREMIO PARA CERRAR ESTA NOCHE.

LAS REGLAS PARA GANARLO SON SIMPLES, PERO SÓLO HABRÁ **UN** VENCEDOR.

HE TRABAJADO MUCHAS HORAS PARA PREPARARLO. ESTÁ TALLADO EN PIEDRA MACIZA, REGALO DE GEB, NUESTRO PADRE.

ES MUY ESPECIAL. HE TRABAJADO MUCHO PARA QUE LO FUERA.

ESTOY **ANSIOSO** POR VER QUÉ OCURRE.

SERÁ **MARAVILLOSO.**

Y BIEN, ¿QUIÉN EMPIEZA?

CUAL OVEJAS, FORMARON FILA PARA ESPERAR SU TURNO, ALEGRES CON LA IDEA DE GANAR ALGO SÓLO POR HABER NACIDO DEL TAMAÑO ADECUADO.

MIENTRAS MIRABA, SENTÍA NÁUSEAS ANTE LA SOLA PRESENCIA DE SET.

QUIERO A SU ESPOSA COMO A UNA AMIGA, PERO A *ÉL*...

...LO *DETESTO*.

TRATARÉ DE NO CABER. NO ENTRARÉ EN SU JUEGO.

DEBO TOMAR MI TURNO. NO SE VERÍA BIEN QUE ME NEGARA. SOY SU FARAÓN, SU GOBERNANTE Y SU DIOS. SI NINGÚN OTRO CABE, EL PREMIO DEBE SER PARA MÍ.

Y UN BUEN REY NO RECHAZA UN REGALO DE BUENA FE.

NO ES VERDAD. UN REY HACE LO QUE LE PLACE. POR ESO ES *REY*.

SÍ, PERO SET ES MI HERMANO. Y POR MÁS CELOS QUE TENGA DE NUESTRA FELICIDAD, NO HARÁ NADA FRENTE A ESTA GENTE.

ESTARÉ A SALVO.

VOLVERÉ EN *UN MOMENTO.*

LO SIENTO, NO ES TU DÍA.

SI FUERAS SÓLO UN POCO MÁS ALTO.

AH, ES UN POQUITO ANGOSTO.

LO TENDRÉ EN CUENTA LA PRÓXIMA VEZ.

DEMASIADO ALTO. YA LO SABÍAS CUANDO ESTABAS EN LA FILA, ¿VERDAD?

OH, AMADA ESPOSA, ¿CREES QUE ES PARA *TI*?

¿QUÉ CREEN TODOS?

LA INTERRUPCIÓN A LA DIOSA

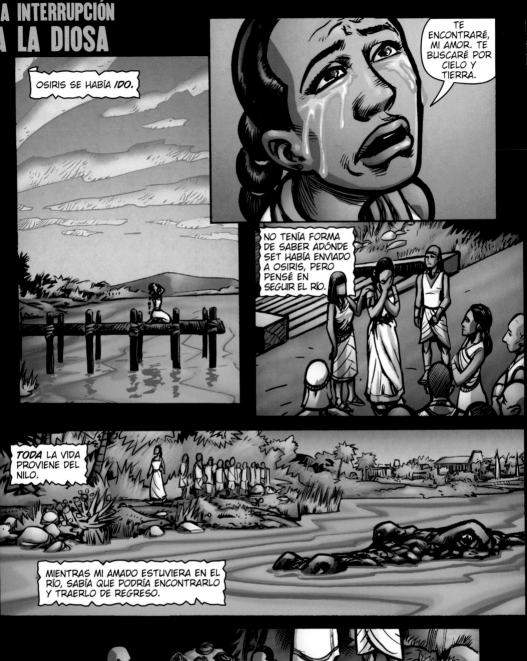

OSIRIS SE HABÍA *IDO*.

TE ENCONTRARÉ, MI AMOR. TE BUSCARÉ POR CIELO Y TIERRA.

NO TENÍA FORMA DE SABER ADÓNDE SET HABÍA ENVIADO A OSIRIS, PERO PENSÉ EN SEGUIR EL RÍO.

TODA LA VIDA PROVIENE DEL NILO.

MIENTRAS MI AMADO ESTUVIERA EN EL RÍO, SABÍA QUE PODRÍA ENCONTRARLO Y TRAERLO DE REGRESO.

SU CUERPO ERA *MÁGICO*. CON SÓLO SEGUIR LOS ASOMBROSOS CAMBIOS QUE SU PRESENCIA CAUSABA, *SABÍA* QUE LO ENCONTRARÍA.

VIAJÉ DURANTE DÍAS, SEMANAS Y **AÑOS**, Y NADA.

MI PUEBLO NACÍA, ENVEJECÍA Y MORÍA, MIENTRAS OTROS SE CONVERTÍAN EN LOS POBRES SÚBDITOS DE SET, Y YO **AÚN** NO ENCONTRABA A MI AMADO.

ESTABA CANSADA. PERO SENTÍA QUE ESTABA MÁS CERCA DE MI ESPOSO QUE NUNCA.

MI SEÑORA, ¿QUÉ OCURRE?

¿POR QUÉ ESTÁS TAN TRISTE?

LES CONTÉ MI HISTORIA.

PERO NO SABÍAN QUIÉN ERA YO. EL TIEMPO QUE HABÍA DEDICADO A LA BÚSQUEDA ME HABÍA TRANSFORMADO EN UNA DESCONOCIDA PARA MUCHOS, JÓVENES Y VIEJOS POR IGUAL.

VEN CON NOSOTROS, MI SEÑORA. NUESTRA REINA ASTARTÉ TE DARÁ ALIMENTOS Y UN LUGAR PARA REPOSAR.

GRACIAS.

PERO PRIMERO, CUÉNTAME DEL ENORME ÁRBOL QUE UNA VEZ EXISTIÓ AQUÍ. ¿QUIÉN DESTRUIRÍA LO QUE DEBE HABER SIDO UN ÁRBOL **MARAVILLOSO**?

EN MI CORAZÓN, SENTÍA QUE EL ÁRBOL ERA ESPECIAL. OSIRIS **DEBÍA** ESTAR CERCA.

¿ME LLEVARÍAS ALLÍ PARA VER ESA COLUMNA?

SÓLO LA HE VISTO UNA VEZ, PERO RECUERDO QUE ERA **MUY** HERMOSA.

ES EL TRONCO DE UN GRAN ÁRBOL DE TAMARISCO. ME HAN DICHO QUE A NUESTRO REY LO IMPRESIONÓ TANTO QUE ORDENÓ A SUS SIRVIENTES CORTARLO Y LLEVARLO A SU CASTILLO.

CON ÉL, SUS CARPINTEROS HICIERON UNA ENORME COLUMNA QUE ESTÁ EN EL PALACIO.

PODEMOS PARTIR YA SI LO DESEAS.

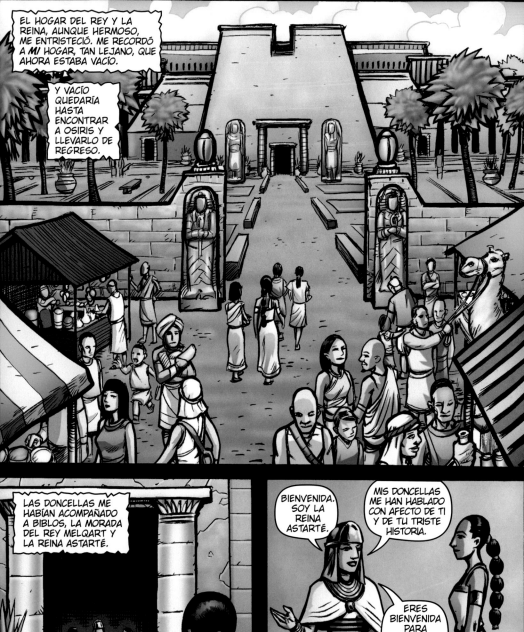

EL HOGAR DEL REY Y LA REINA, AUNQUE HERMOSO, ME ENTRISTECIÓ. ME RECORDÓ A *MI* HOGAR, TAN LEJANO, QUE AHORA ESTABA VACÍO.

Y VACÍO QUEDARÍA HASTA ENCONTRAR A OSIRIS Y LLEVARLO DE REGRESO.

LAS DONCELLAS ME HABÍAN ACOMPAÑADO A BIBLOS, LA MORADA DEL REY MELQART Y LA REINA ASTARTÉ.

ME HABLABAN DE LA ADORACIÓN DE LA REINA POR SU PEQUEÑO HIJO, DEL TRATO RESPETUOSO DEL REY HACIA SUS TRABAJADORES, Y DE CÓMO ÉSTOS LE CORRESPONDÍAN CON IGUAL RESPETO.

BIENVENIDA. SOY LA REINA ASTARTÉ.

MIS DONCELLAS ME HAN HABLADO CON AFECTO DE TI Y DE TU TRISTE HISTORIA.

ERES BIENVENIDA PARA QUEDARTE CUANTO QUIERAS.

ANTES DE TU INTERRUPCIÓN BENDECÍA A TU HIJO CON LA JUVENTUD Y LA BELLEZA ETERNAS.

ES UN NIÑO ADORABLE.

TE PROMETÍ DEVOLVER TU CONFIANZA Y GENEROSIDAD CON UN DON ESPECIAL QUE *SÓLO* LOS DIOSES PUEDEN OTORGAR.

SI HUBIERAS TENIDO LA CORTESÍA DE LLAMAR ANTES DE ENTRAR, PODRÍA HABER COMPLETADO MI BENDICIÓN.

PERO *AHORA*, A CAUSA DE TU CURIOSIDAD, DACTYL NO TENDRÁ NINGUNO DE MIS DONES.

LAS LLAMAS ERAN *MÁGICAS*, Y HUBIERAN QUEMADO LAS IMPUREZAS QUE LA NATURALEZA HUMANA CONLLEVA.

PERO AHORA SERÁ ENFERMIZO, *DÉBIL* Y TEMEROSO, Y NO VIVIRÁ PARA CUMPLIR SU POTENCIAL. TODO POR TU CULPA.

AHORA, NO ME IRRITES MÁS.

MUÉSTRAME LA COLUMNA QUE TU ESPOSO TALLÓ DE AQUEL GRAN TAMARISCO QUE CORTARON AL LADO DEL RÍO.

25

MADRE...

¿QUÉ?

ÉL NO SABE NADA.

DÉJALO.

TIENES RAZÓN.

LO SIENTO. PERO...

LO SÉ. TAMBIÉN LO EXTRAÑO, Y NI SIQUIERA LO HE CONOCIDO.

HASTA EL FIN DEL MUNDO

¿QUIÉN ME ODIARÍA TANTO COMO PARA HACER ESTO?

TU ESPOSO.

SET LO HIZO, ¿VERDAD?

NO LO SÉ.

LA MOMIFICACIÓN

AHORA DEBEMOS COMENZAR EL PROCESO.

LO ENCONTRAMOS, PERO FALTA UNA PARTE. HE ORDENADO A UN ALFARERO QUE HAGA ESA PARTE CON LA TIERRA QUE EL MISMO OSIRIS BENDIJO.

CUANDO SU CUERPO ESTÉ COMPLETO, LO BENDECIREMOS CON ESTAS SALES SAGRADAS Y LO DEJAREMOS REPOSAR UNOS DÍAS.

CUANDO LAS ESPECIAS BENDITAS HAYAN OBRADO SU MAGIA, LO VENDAREMOS FUERTEMENTE EN LINO PARA RETENER LA ENERGÍA DE LA VIDA EN ÉL...

...Y SANARLO.

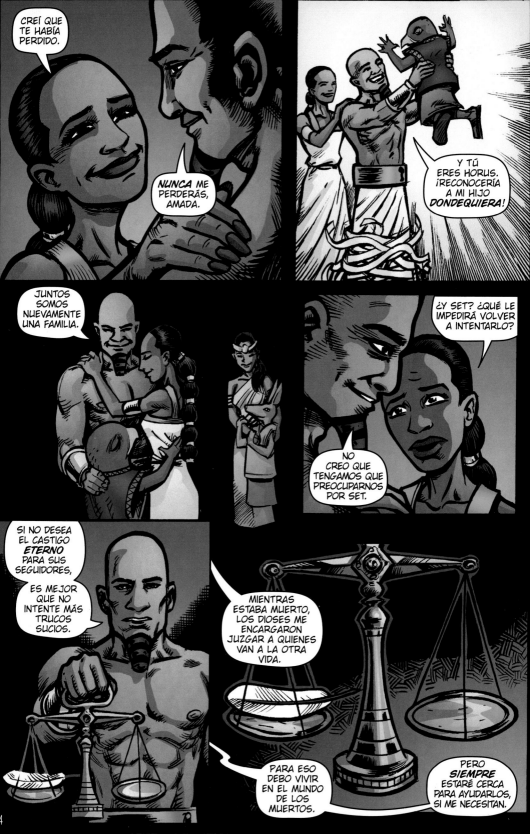

PARECE QUE LAS ACCIONES DE TU VIDA PESAN MUCHO.

SERÁS *CASTIGADO* HASTA QUE HAYAS PURIFICADO LA MANCHA DEL MAL QUE HAY EN TU CORAZÓN.

CUANDO LO HAYAS HECHO, VOLVERÉ A PESAR TU CORAZÓN.

SI NO ACARREA GRANDES PECADOS, RECIBIRÁS LA RECOMPENSA QUE MERECEN LOS BUENOS.

AHORA, ¡VETE!

SIGUES TÚ.

VEN, DEJA QUE TE JUZGUE.

GLOSARIO

ANUBIS: el hijo de Neftis y Set. Anubis tiene cabeza de perro y cuerpo de hombre.

FARAÓN (EL): rey del antiguo Egipto.

HORUS: el hijo de Isis y Osiris. Horus tiene cabeza de halcón y cuerpo de hombre.

ISIS: la diosa más prominente de Egipto, esposa de Osiris. Isis es la diosa de la maternidad.

MOMIA (LA): un cuerpo conservado. En el antiguo Egipto, se momificaban los cuerpos extirpando los principales órganos y desecando el cuerpo con un tipo especial de sales. Luego se envolvía el cuerpo en paños de lino.

NEFTIS: diosa egipcia, esposa de Set. En la mitología egipcia, Neftis colabora con los ritos fúnebres pero también es una de las diosas de la maternidad, junto con Isis.

OSIRIS: el principal dios egipcio, esposo de Isis. Osiris se convierte en la primera momia, y en el dios del mundo de los muertos.

PHARAOH (EL): ataúd del antiguo Egipto.

SARCÓFAGO (EL): an ancient Egyptian coffin.

SET: hermano de Osiris y dios del caos y la ira. Set está casado con Neftis, y su hijo es Anubis.

Dibujo original a lápiz de la página 14

LECTURAS ADICIONALES, SITIOS WEB Y PELÍCULAS

Barghuson, Joan. *Daily Life in Ancient and Modern Cairo*. Minneapolis: Lerner Publications Company, 2001. Este libro analiza el surgimiento de la capital de Egipto, desde la fundación de la ciudad, a través del período clásico, y hasta los tiempos modernos.

Day, Nancy. *Your Travel Guide to Ancient Egypt*. Minneapolis: Twenty-First Century Books, 2001. Day prepara al lector para un viaje al antiguo Egipto, y le dice qué ciudades visitar, qué ropa vestir y cómo tratar con los habitantes locales.

Krensky, Stephen. *The Mummy*. Minneapolis: Lerner Publications Company, 2007. Explora la historia y las leyendas que rodean la versión de la cultura popular de la momia.

Egyptian Mummies
http://www.si.edu/resource/faq/nmnh/mummies.htm
   Más información sobre el proceso de momificación en el sitio de la Smithsonian Institution.

Encyclopedia Mythica: Egyptian Mythology
http://www.pantheon.org/areas/mythology/africa/egyptian/
   Este sitio contiene gran cantidad de información detallada sobre Isis, Osiris y otros dioses y mitos egipcios. Para comenzar, hojea los artículos.

Green, Roger Lancelyn, ed. *Tales of Ancient Egypt*. New York: Puffin Books, 1996. Esta reedición de una colección clásica ofrece historias de Isis y Osiris, junto a una amplia variedad de otros fascinantes relatos.

The Mummy. DVD. Dirigida por Karl Freund. Hollywood: Universal Studios, 1932. Relanzamiento en 1999. Esta clásica película está protagonizada por Boris Karloff, en el papel de la momia. Un arqueólogo revive la momia de un príncipe del antiguo Egipto, lo cual da lugar a misterios e intrigas.

LA CREACIÓN DE *HASTA EL FIN DEL MUNDO*

Para crear este relato, el autor Jeff Limke utilizó como uno de sus principales recursos *The Masks of God: Primitive Mythology*, de Joseph Campbell, un respetado académico en leyendas y mitología. Jeff Limke también consultó el libro *Egyptian Legends and Stories*, escrito por el destacado arqueólogo y egiptólogo británico M. V. Seton-Williams. El artista David Witt utilizó fuentes históricas y de la tradición para dar forma a los detalles visuales del relato: desde los jeroglíficos hasta las reproducciones de antiguos dibujos egipcios realizados en papiro (papel hecho con una planta del Nilo). En conjunto, el texto y las ilustraciones dan vida a los grandes relatos del antiguo Egipto.

ÍNDICE

ACERCA DEL AUTOR Y DEL ARTISTA

JEFF LIMKE creció en Dakota del Norte, rodeado de nieve y no de arena; de ciervos de cola blanca, no de cocodrilos; y de trigales, no de pirámides. Allí, desde el día en que aprendió a leer, disfrutaba y se maravillaba con estas historias. Más adelante estudió relatos durante muchos años, y se ha dedicado a escribir adaptaciones por un período ligeramente más corto. Algunos de sus relatos han sido publicados por Caliber Comics, Arrow Comics y Kenzer and Company. Con el tiempo, se casó y tuvieron una hija que adora leer, escuchar y maravillarse con los cuentos.

DAVID WITT (DWITT) es un activo y polifacético ilustrador. Durante tres años se ha dedicado a crear volantes, pósteres, serigrafías, historietas, diseños para camisetas, logotipos e ilustraciones e imágenes de toda clase para disfrute de las ciudades gemelas de Minnesota y del mundo.